Chuamar go léir ar Safárai

Ag taisteal is ag comhaireamh sa Tansáin

2840750

Barefoot Books Ltd a chéadfhoilsigh faoin teideal *We All Went on Safari*

An téacs
© Laurie Krebs 2003
An obair ealaíne
© Julia Cairns 2003
An t-eagrán Gaeilge
© Foras na Gaeilge 2003

ISBN 1-85791-480-5

Tá Barefoot Books buíoch den Dr Michael Sheridan, Ollamh le Socheolaíocht agus le hAntraipeolaíocht ar cuairt in Middlebury College, Vermont, as a chabhair le haistriú agus le foghraíocht na bhfocal Svaihílise.

Printset & Design a chuir suas an cló in Éirinn
An South China Printing Company a chlóbhuail i Hong Cong

Le fáil tríd an bpost uathu seo:

An Siopa Leabhar,   *nó*   An Ceathrú Póilí,
6 Sráid Fhearchair,   Cultúrlann Mac Adam-Ó Fiaich,
Baile Átha Cliath 2.   216 Bóthar na bhFál,
ansiopaleabhar@eircom.net   Béal Feirste BT12 6AH.
                                                  acpoili@mail.portland.co.uk

Orduithe ó leabhardhíoltóirí chuig:
Áis,
31 Sráid na bhFíníní,
Baile Átha Cliath 2.
eolas@forasnagaeilge.ie

An Gúm, 24-27 Sráid Fhreidric Thuaidh, Baile Átha Cliath 1

Chuamar go léir ar Safáraí

Ag taisteal is ag comhaireamh sa Tansáin

Laurie Krebs *a scríobh*
Julia Cairns *a mhaisigh*
Gabriel Rosenstock *a rinne an leagan Gaeilge*

An Gúm
Baile Átha Cliath

Chuamar go léir ar safáraí,
Le breacadh geal an lae.

Chonaiceamar liopard aonair –
arsa Arusha: 'A haon! Huiré!'

moja 1

Chuamar go léir ar safáraí,
Thar an machaire mór.

Thángamar ar ostraisí,
arsa Mosi: 'A haon ..., a dó ...'

mbili 2

Chuamar go léir ar safáraí,
Bhí sioráif romhainn ann.

'A trí!' arsa Tumpe,
'Féach, ansin, faoin gcrann!'

tatu **3**

Chuamar go léir ar safáraí,
Shroicheamar an cráitéar.

'A ceathair!' arsa Mwambe.
'Leoin ina luí ar an bhféar!'

nne 4

Chuamar go léir ar safáraí,
Bhí na dobhareacha ag glacadh sosa.

'A cúig!' arsa Akeyla.
Bhí na héin chomh maith cois locha.

tano

5

Chuamar go léir ar safáraí,
D'fhan cuid againn ag faire.

Ansin arsa Watende:
'Sé ghnú agus iad ar aire!'

sita 6

Chuamar go léir ar safáraí,
Agus an ghrian go hard sa spéir.

'A seacht,' arsa Zalira.
'Séabraí iad go léir!'

saba

7

Chuamar go léir ar safáraí,
Is bhí an lá gan locht.

Chomhair Suhuba toirc na bhfaithní:
'*Nane!*' Sin – 'a hocht!'

nane

8

Chuamar go léir ar safáraí,
Is bhí na moncaithe ag spraoi.

Ba í Doto a chomhair iad:
'*Tisa!*' ar sí; 'a naoi!'

tisa 9

Chuamar go léir ar safáraí,
Trí ghleann na mbollán.

Chomhair Bodru na heilifintí –
Deich gcinn san iomlán.

kumi 10

Chuamar go léir ar safáraí,
Agus an ghrian ag dul a luí.

Bhí codladh ag teacht ormsa,
Is ar gach aon ainmhí.

Ainmhithe na Tansáine

Liopard – chui (*tsiú–í*)

Is minic a thugann an liopard a chreach leis in airde ar ghéag. Is ann a itheann sé agus a chodlaíonn sé. Ní bheadh a fhios agat é a bheith ann murach an t-eireaball fada breac air.

Leon – simba (*suíom-ba*)

Is í an leon baineann a dhéanann an tseilg. Is minic breis is dosaen leon eile ag brath uirthi.

Ostrais – mbuni (*eim-bú-ní*)

Is airde í an ostrais ná na himreoirí cispheile fiú, idir 7-8 dtroigh. Ní fhéadfá coimeád suas léi agus í ag rith!

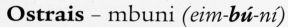

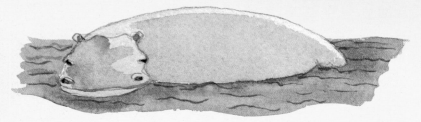

Dobhareach – kiboko (*cí-bó-có*)

Caitheann an dobhareach an lá san uisce. Crapann sé a chluasa agus dúnann a pholláirí i dtreo is nach dtriomóidh an ghrian a chraiceann.

Sioráf – twiga (*tví-ga*)

Tá teanga an tsioráif 18 n-orlach ar fad. Tá na beola uachtair aige spúinseach i dtreo is nach ngortóidh na spíonta a fhásann ar an gcrann acáise é. Sin an bia is fearr leis.

Gnú – nyumbu (*ní-úm-bú*)

Ba dhóigh leat gur meascán d'ainmhithe éagsúla é an gnú. Tá cloigeann an daimh air, moing an chapaill, adharca an bhuabhaill agus meigeall an ghabhair.

Séabra – punda milia (*pun-da mí-lí-a*)

Faoi mar atá a mhéarlorg féin ag gach duine, tá patrún dubh is bán dá chuid féin ag gach séabra. Cabhraíonn an patrún sin leis dul i bhfolach ó na leoin nuair a bhíonn siad ag seilg maidin agus tráthnóna.

Torc na bhFaithní – ngiri (*ngí-rí*)

Bíonn na toirc ar sodar in aon líne amháin – an mamaí chun tosaigh agus na bainbh laistiar di – a n-eireaball in airde san aer acu go léir.

Moncaí Vervet – tumbili (*túm-bí-lí*)

Is gnách go bhfaigheann an moncaí óg síob óna mháthair. Coimeádann sé greim ar a hucht agus casann sé a eireaball timpeall ar a muineál.

Eilifint – tembo (*tem-bó*)

Tugann an mamaí togha na haire don eilifint óg. Coinníonn sí an babaí faoina cosa aici nó i lár an tslua agus an tréad ag bogadh.

Na Másaigh

Tá cónaí ar na Másaigh san áit a mbuaileann tuaisceart na Tansáine le deisceart na Céinia. Bailíonn go leor teaghlach go dlúth le chéile i sráidbhailte beaga. Is de láib, cipíní, féar agus bualtrach a dhéanann siad na botháin atá acu. Tugann siad go léir aire do thréad bó – an obair is tábhachtaí atá le déanamh acu. Nuair is maith é an féarach, fanann an pobal san áit chéanna. Le linn an triomaigh, áfach, téann an pobal ar fán chun teacht ar uisce agus ar fhéarach dá gcuid beithíoch.

Pobal mórtasach iad na Másaigh. Fabraic dhearg a bhíonn sna clócaí a chaitheann siad. Dream ard is ea iad agus caitheann idir fhir is mhná fáinní cluaise agus muincí breátha coirníneacha. Bíonn ceannbheart ar chuid de na fir agus stíl ghruaige mhaisiúil. Is gnách go mbearrann na mná a gcloigeann. Caitheann siad bóna bán thart ar a muineál agus bíonn sé ag preabadh go rithimeach nuair a bhogann siad.

Tá na Másaigh in Oirthear na hAfraice leis na mílte bliain. Ach sa lá atá inniu ann, is deacair an saol tréadaíochta a chaomhnú agus tá a gcuid traidisiún i mbaol.

Ainmneacha Svaihílise

Nuair a roghnaíonn na Tansánaigh ainmneacha dá bpáistí is minic a bhíonn brí speisialta leis an ainm. Bíonn siad ag súil go mbeidh na cáilíochtaí sin ag baint leis an leanbh nuair a fhásfaidh sé.

ARUSHA (b) *(a-**rú**-sea)* – tá sí neamhspleách, cruthaitheach, uaillmhianach

MOSI (f) *(**mó**-saí)* – foighneach freagrach; is maith leis a mhuintir agus a bhaile

TUMPE (b) *(**túm**-pé)* – tá sí cairdiúil greannmhar agus is eagraí nó ceannaire maith í

MWAMBE (f) *(**muám**-bé)* – tá sé néata suairc; déanfaidh sé fear maith gnó

AKEYLA (b) *(a-**cé**-la)* – is maith léi an dúlra

WATENDE (f) *(uá–**tein**-dé)* – tá sé íogair, cruthaitheach, flaithiúil

ZALIRA (b) *(zá-**lí**-ra)* – tá sí tuisceanach, suairc, cairdiúil

SUHUBA (f) *(sú-**hú**-ba)* – tá sé cliste, cumasach, grámhar

DOTO (b/f) *(**dó**-tó)* – tá sí/sé fial agus cabhrach

BODRU (f) *(**bó**-drú)* – oibrí maith foighneach é; críochnaíonn an obair a thosaíonn sé

Eolas faoin Tansáin

Is í an Tansáin an tír is mó in Oirthear na hAfraice. Ta sí chomh mór leis an bhFrainc, beagnach.

Kilimanjaro an sliabh is airde san Afraic. Tá sé 19,340 troigh (5,895 méadar) ar airde.

Is é Loch Victoria, sa tuaisceart, an dara loch is mó ar domhan.

An Tangainíc ab ainm don tír roimh 1961. Faightear an t-ainm sin i gcónaí ar loch mór ann, Loch Thangainíce. Is é atá sa Tansáin inniu ná an Tangainíc agus Sainsibeár, oileán amach ón gcósta.

Cónaíonn breis agus 100 treibh sa Tansáin.

Ciallaíonn an t-ainm Serengeti (ar an mapa) 'má gan chríoch'.

Is é atá sa Chráitéar Ngorongoro (ar an mapa) ná iarsma de bholcán. Bhíodh sé níos airde tráth ná Kilimanjaro. Níl ann anois ach mar a bheadh babhla mór ann.

Tugtar 'cliabhán an chine dhaonna' uaireanta ar Scornach Olduvai (ar an mapa). Fuarthas seaniarsmaí an duine ann.

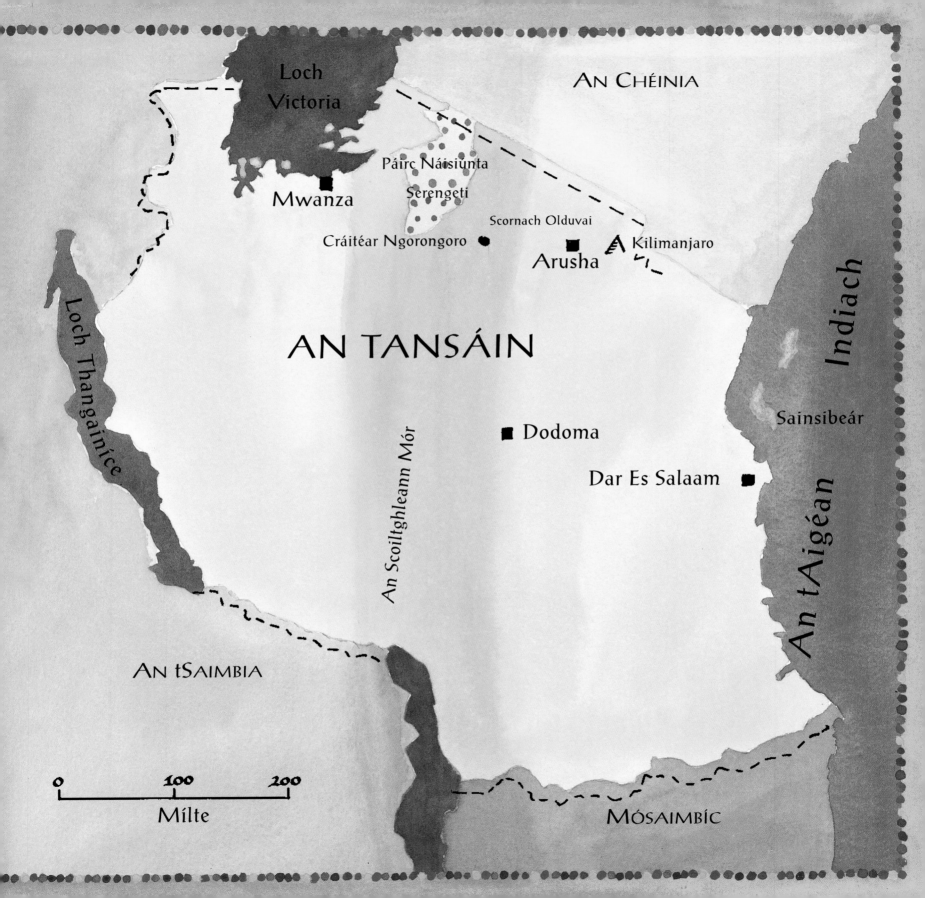

Ag Comhaireamh sa tSvaihílis

1
moja
(**mó**-dea)
a haon

2
mbili
(eim-**bí**-lí)
a dó

3
tatu
(**ta**-tú)
a trí

4
nne
(**ein**-né)
a ceathair

5
tano
(**ta**-nó)
a cúig

6
sita
(**suí**-ta)
a sé

7
saba
(**sa**-ba)
a seacht

8
nane
(**na**-né)
a hocht

9
tisa
(**tuí**-sa)
a naoi

10
kumi
(**cú**-mí)
a deich